気候危機を打開する 日本共産党の2030戦略

2021年9月1日　日本共産党

目　次

1、気候危機とよぶべき非常事態——CO₂ 削減への思い切った緊急行動が求められている

（1） 2030年までのCO₂ 削減に人類の未来がかかっている

　気候危機とよぶべき非常事態が起こっています。すでに世界各地で、異常な豪雨、台風、猛暑、森林火災、干ばつ、海面上昇などが大問題になっています。

　国連IPCC（気候変動に関する政府間パネル）「1.5度特別報告書」は、2030年までに大気中への温室効果ガス（その大半はCO_2）の排出を2010年比で45％削減し、2050年までに実質ゼロを達成できないと、世界の平均気温の上昇を産業革命前に比して1.5度までに抑え込むことができないことを、明らかにしました。

　たとえ気温上昇を1.5度に抑えても、洪水のリスクにさらされる人口は今の2倍となり、食料生産も減少するなど人類と地球環境は打撃を受けますが、それを上回る気温上昇となると、その打撃は甚大なものとなります。

　2度上昇すれば、洪水のリスクにさらされる人口は2.7倍に増加し、サンゴの生息域は99％減少してしまいます。さらに、大気中の温室効果ガスが一定濃度をこえてしまうと「後戻り」できなくなり、3〜4度も上昇してしまうと気候変動による影響が連鎖して、悪化を止められないという破局的な事態に陥ってしまいます。

　パリ協定は、それを避けるために「上昇幅を2度を十分に下回り、1.5度以内に抑える」ことを目的として、日本を含む世界196カ国が合意して締結したのです。

　IPCCは、今年8月、新たな報告書を発表し、「人間の影響が温

2

暖化させてきたことにはもはや疑う余地はない」としました。同時に、これからの10年の思い切った削減と、2050年までに温室効果ガスの排出量の「実質ゼロ」を達成し、その後も大気中のCO_2の濃度を下げる努力を続けることによって、21世紀の最後の20年には1.4度まで抑えることができることも示しました。

新型コロナウイルス、エボラ出血熱、エイズなどの新しい感染症が次々と出現し、人類社会の大きな脅威となっていますが、この背景にも、森林破壊をはじめとした環境破壊、地球温暖化があります。

すでに世界の平均気温は1.1～1.2度上昇しており、破局的な気候変動を回避するために取り組める時間は長くありません。10年足らずの間に、全世界のCO_2排出を半分近くまで削減できるかどうか、ここに人類の未来がかかっているのです。

（2）日本でも気候危機の深刻な影響があらわれている

気候変動による脅威と被害は、日本でも、「経験したことがない」豪雨や暴風、猛暑など、きわめて深刻です。今年の夏も、大雨特別警報や「緊急安全確保」の指示が頻繁に出され、洪水・土石流が起こり、多数の死者や行方不明者、大きな被害がもたらされています。豪雨水害では最大の被害額（1兆1580億円）となった2018年の西日本豪雨、千曲川や阿武隈川の堤防が決壊した2019年の台風19号、球磨川水系での大洪水が起きた2020年の熊本豪雨など、「何十年に一度」とされる豪雨災害が毎年発生しています。

猛暑も頻繁に起きるようになり、2018年の夏の猛暑は、各地で40度をこえ、5月から9月までの間の熱中症による救急搬送人数は9万5137人と過去最多となりました。

海水温の上昇や海流の変化は、異常気象の原因となるとともに、

海の生態系に悪影響を及ぼし、漁業への打撃ともなっています。

　日本は、西日本豪雨や猛暑、台風21号などがあった2018年に、気候変動の被害を受けやすい国ランキングで世界1位となり、翌19年も台風19号の被害などで第4位となりました（ドイツの環境シンクタンク「ジャーマンウォッチ」）。

　気候危機は、日本に住む私たちにとっても、緊急に解決しなければならない死活的な大問題となっているのです。

壊滅的な被害を受けた球磨川沿いの集落＝2020年7月11日、熊本県球磨村

2、「口先だけ」の自公政権
──四つの問題点

　自公政権は、やっと昨年「2050年カーボンゼロ」をかかげましたが、中身を見れば、「口先だけ」というほかないものです。そこには四つの問題点があります。

(1) 2030年までの削減目標が低すぎる

　第一は、一番肝心な2030年までの削減目標が低すぎるということです。

　政府が、4月に発表した2030年度の削減目標は「2013年度比で46％削減」です。これは2010年比にすると42％減であり、国連が示した「2030年までに2010年比45％減」という全世界平均よりも低い、恥ずかしいものです。

　世界の先進国は、2030年までにEUは55％減（1990年比）、イギリスは68％以上減（同。35年には78％減）、バイデン政権のもとパリ協定に復帰したアメリカは50 〜 52％減（2005年比）など、最低でも50％以上、60％台の削減目標を掲げています。

　先進国には、産業革命以来、CO_2を長期に排出してきた大きな責任があります。また、高い技術力と経済力も持っています。日本には世界平均以上の目標でCO_2削減をすすめる責任があります。

(2) 石炭火力の新増設と輸出をすすめている

　第二は、この期におよんで石炭火力に固執し新増設と輸出をすすめていることです。

　国連は、石炭火力からの計画的な撤退を強く要請し、グテレス事

務総長は、日本など「最も豊かな国々」に同発電の2030年までの段階的な廃止を求めています。

　ところが自公政権は、7月21日に発表した「第6次エネルギー基本計画（素案）」で、2030年度の発電量に占める石炭火力の割合を26％から19％にするとしたのみで、石炭火力からの撤退を表明しません。すでに、イギリス―2024年、フランス―2022年、イタリア―2025年、ドイツ―2038年、カナダ―2030年など、多くの国々が石炭火力からの撤退年限を表明し、アメリカは2035年までに「電力部門のCO_2排出実質ゼロ」を表明しています。

　それどころか、自公政権は、国内で9件の大規模な石炭火力の建設をすすめ、インドネシア、バングラデシュ、ベトナムへの石炭火力輸出も推進しています。これでは30年、50年先まで、CO_2を大量に排出し続けることになります。

　石炭火力の新規建設・計画、輸出を中止し、既存の石炭火力についても、2030年をめどに計画的に廃止するエネルギー政策に転換することは、脱炭素に真面目に取り組むかどうかの試金石です。

（3）原発依存――最悪の環境破壊と将来性のない電源を選択する二重の誤り

　第三は、「脱炭素」を口実に、原発だのみのエネルギー政策を加速させようとしていることです。

　「エネルギー基本計画（素案）」では、2030年度に、原発で発電量の20～22％をまかなうとしています。現在の原発による発電量は全体の6％程度ですから、老朽炉を含む27基程度の原発を再稼働しようというのです。

　原発は、放射能汚染という最悪の環境破壊を引き起こします。事故が起きなくても使用済み核燃料が増え続け、数万年先まで環境を

脅かし続けます。最悪の環境破壊を引き起こす原発を「環境のため」といって推進するほど無責任な政治はありません。

　しかも、原発に固執するエネルギー政策は、危険な「老朽原発の延命」をしても、近い将来の新増設が必須となります。しかし、福島原発事故を経験し、国民多数が原発ゼロを望んでいる日本で、どこに新しい原発をつくれるところがあるでしょうか。原発の新増設を前提としたエネルギー政策は、電力供給の面でも破たんする無責任な政策です。

（4）実用化のめども立っていない「新技術」を前提にする無責任

　第四は、実用化のめども立っていない「新技術」を前提にしていることです。新技術の開発は必要ですが、それを前提にすればCO_2削減の先送りになるだけです。

　政府は、石炭火力の継続・建設を前提に、火力で排出されるCO_2を回収し地下に貯留する技術（CCS）や、火力の燃料にアンモニアを混ぜたり、アンモニア単独で燃やす技術、水素の利用技術などを今後開発して、CO_2の排出を減らすとしています。しかし、これらはどれも実現するかどうか定かではないものばかりです。

　たとえばCO_2を回収できたとしても、国内には地下に安定的に貯留できる適地はありませんし、コストも高額になります。アンモニアを混ぜても、火力発電で化石燃料が多く消費されることに変わりありません。水素の生成には、大量の電力を必要としますが、その電力を化石燃料でつくったら何もなりません。再生可能エネルギーを使った電力で水素を生成したとしても、エネルギーロスが生まれ、そのまま電力として利用した方が効率的です。再生可能エネルギーに余裕ができる「将来の話」なら別ですが、2030年までと

いう期間では非現実的です。

　研究者グループからは "既存の省エネ・再エネの技術だけでも CO_2 を93%削減できる" という提言もあります（未来のためのエネルギー転換研究グループ）。

　2030年までに緊急に CO_2 の大幅な削減が求められている状況では、既存の技術や、実用化のめどが立っている技術を積極的に普及・導入することで、直ちに削減に踏み出すことが必要です。

3、日本共産党の提案——省エネと再エネで、30年度までに50 ～ 60％削減

（1）2030年度までにCO_2を50 ～ 60％削減する

　脱炭素社会に向けて、多くの環境団体・シンクタンクが、2030年までの目標と計画を示しています（次のページの表）。これらは温暖化防止のNGO・NPOや研究者中心のグループ、大企業や産業界、地方自治体などが参加する団体やシンクタンクです。政治的、経済的な立場の違いはあっても、エネルギー消費を20 ～ 40％減らし、再生可能エネルギーで電力の40 ～ 50％程度をまかなえば、CO_2を50 ～ 60％程度削減できる、という点で共通しています。

　日本共産党は、2030年度までに、CO_2を50 ～ 60％削減する（2010年度比）ことを目標とするよう提案します。それを省エネルギーと再生可能エネルギーを組み合わせて実行します。エネルギー消費を4割減らし、再生可能エネルギーで電力の50％をまかなえば、50 ～ 60％の削減は可能です。さらに2050年に向けて、残されたガス火力なども再生可能エネルギーに置き換え、実質ゼロを実現します。

（2）大規模な省エネをすすめる条件は大いにある

　エネルギー消費を減らす省エネルギーは、CO_2排出を減らすうえで決定的です。日本は、省エネという面でも世界から大きく立ち遅れており、大規模な省エネをすすめる条件は大いにあります。

日本は、GDP当たりのエネルギー消費量でみて、1970年代のオイルショックを経て80年代までは、「世界の先進」と言える取り組みをしてきましたが、バブル崩壊後は消費量が増え、その後も停滞し、はっきりと減り始めたのは東電福島第1原発事故後です。この大きな立ち遅れは、逆に言えば、日本で省エネにまともに取り組めば、CO_2排出を大きく削減できる可能性があることを示しています。

各団体が提起している2030年度の目標

	削減率			最終エネルギー消費削減(%)	電力消費削減(%)	再エネ電力(%)	原子力(%)	石炭火力(%)
	%減	基準年						
気候ネットワーク	65	2013年度	CO_2	40(2013年度比)	20(同左)	50以上	0	0
未来のためのエネルギー転換研究グループ	55	1990年	CO_2	38(2013年度比)	28(同左)	44	0	0
自然保護基金(WWF)ジャパン	51	2013年度	CO_2	22(2015年度比)	15(同左)	50	2	0
自然エネルギー財団	47	2013年度	CO_2	30(2013年度比)	14(2015年度比)	45	0	0
ジャパン・クライメイト・イニシアチブ(JCI)	50	2013年度	GHG			40〜50		
日本気候リーダーズ・パートナーシップ(JCLP)	50以上	2013年度	GHG			50以上		

(注)＊GHGは温室効果ガス（Greenhouse Gas）で、CO_2が大部分を占め、他にメタンやフロン、一酸化二窒素、六フッ化硫黄などを含む。
●気候ネットワークは、地球温暖化防止のために市民の立場から提案・発信・行動するNGO・NPO。
●未来のためのエネルギー転換研究グループは、日本におけるエネルギーミックスや温暖化問題を専門とする研究者を中心とするグループ。
●WWFは人類が自然と調和して生きられる未来を目指し、約100カ国で活動する環境団体。WWFジャパンは、日本国内および日本が関係する問題に取り組む。
●自然エネルギー財団は、ソフトバンクグループの孫正義代表が2011年に設立し、現在も財団の会長を務める公益財団法人のシンクタンク。
●JCIは、パリ協定が求める脱炭素社会の実現に向け取り組む団体。486企業、141のNGO・団体、37の都府県市区の、合計664団体の連名で2030年度の野心的な削減目標を国に求めている。
●JCLPは、脱炭素化社会に産業界が行動を開始すべきだとして2009年に発足した企業団体で、197社が加盟。

実際に、ガス火力発電の平均エネルギー効率は40％程度で、残りの6割は排熱として捨てられていますが、エネルギー効率を8割程度まで引き上げる実例も生まれています。製鉄でも、古鉄を原料に電気で精製する電炉方式は、鉄鉱石から精製する高炉方式より消費エネルギーを3割削減できるところまできています。製造業でも、断熱化や電力利用の効率化などによる省エネ投資でエネルギー消費量を2〜3割減らしたり、製造過程で出ていた排熱を利用するシステム導入でエネルギー消費量を6〜8割削減することも可能になっています。

　省エネは、企業でも家庭でも、多くは3〜4年で、建物など耐用年数の長いものでも10年で投資した省エネ費用の回収ができ、その後はエネルギー消費減による節約効果が続きます。省エネは、「がまん」や「重荷」ではなく、企業にとっては、コスト削減のため

GDP当たり１次エネルギー消費量（1990年=1）

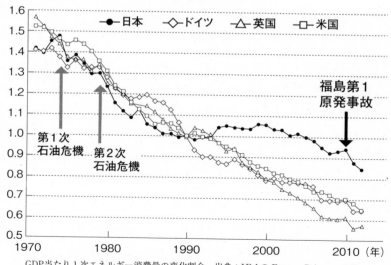

GDP当たり１次エネルギー消費量の変化割合　出典：IEAの Energy Prices and Taxes Statistics などから作成（明日香壽川著『グリーン・ニューディール』）

11

の投資であり、家計にとっても負担減になるのです。

(3) 再生可能エネルギーの潜在量は電力需要の5倍
──大きな可能性と必要性

　再生可能エネルギーの可能性もきわめて大きなものがあります。

　政府の試算でも、日本における再生可能エネルギーの潜在量は、現在の国内の電力需要の5倍です。再生可能エネルギーによる電力を、2030年までに50％（現状の2.5倍）、2050年までに100％にすることは十分可能です。

　日本の発電量における再生可能エネルギーの比率は22％（2020年）です。ドイツ48％、スペイン44％、イギリス43％、カリフォルニア州53％（2019年）などと比較しても大きく立ち遅れており、中国29％にも抜かれました。2030年に向けた目標でも、スペイン74％、ドイツ65％、EU全体で57％、アメリカのカリフォルニア州60％、ニューヨーク州70％となっていますが、日本は36〜38％です。

　再生可能エネルギーの導入がすすむほど価格は下がっており、新設の発電コストを電源別に比較すると、いまでは太陽光発電が最も安く、風力がそれに次いでいます。一方、石炭火力は太陽光の3倍、原発は4倍ものコストがかかります。その潜在的可能性をくみつくす再生エネルギーへの大転換の戦略をもつことは急務です。

　世界では、グローバル企業を中心に、自社製品やサービスの提供をはじめ、事業の100％を再生可能エネルギーで行うという「RE100」の運動が広がっています。日本における再生可能エネルギーの本格導入が遅れ、石炭火力や原子力でつくった電力を使わざるを得なくなれば、日本企業は世界市場で競うことも、製品を輸出することも、できなくなってしまいます。この面からも再生可能エネルギーへの大転換は急務となっています。

4、脱炭素、省エネ・再エネをすすめる社会システムの大改革を

電力と一部産業、大規模事業所の脱炭素化が、決定的に重要

　脱炭素、省エネ・再エネを大規模にすすめるためには、電力、産業、運輸、都市、住宅など、社会のあらゆる分野での大改革が必要です。

　とくに日本におけるCO_2の排出量は、発電所（エネルギー転換）で39％、産業で25％、全体の6割以上を占めています。

　CO_2排出量は、電力事業と、鉄鋼（12％）、セメント（2％）、石油精製（2％）、化学工業（1％）、製紙業（0.2％）の六つの業種に集中しています。また、85の事業所でCO_2排出量の半分、200の事業所で60％を占めます。

　つまりCO_2排出の大所は限られています。電力会社と一部の産業、200程度の大規模事業所での脱炭素化は、日本全体でのCO_2削減をすすめるうえで決定的に重要です。

（1）電力分野——電力消費の削減、再エネの両面で大改革を

　電力分野は、日本全体のCO_2排出量の約4割を発電が占めるもとで、CO_2削減の成否を握っています。

　次の電力大改革をすすめます。

①社会全体の省エネルギー化によって、2030年までに電力消費を20〜30％削減する。

②2030年に、石炭火力、原発の発電量はゼロとする。

13

③化石燃料から再生可能エネルギーへの大転換をすすめ、2030年に、電力の50%を再生可能エネルギーでまかなう。

■再生可能エネルギー電力の優先利用原則を確立し、送電網・供給体制を整備する

再生可能エネルギーの普及をすすめるうえで、全国各地につくられる小規模な再生可能エネルギー発電を有効かつ大規模に活用する体制をつくることが必要です。

何よりも、再生可能エネルギーで発電した電力を優先的に利用する、優先利用原則を確立することです。自公政権も口では「再生可能エネルギーの主力化」と言っていますが、実態は、発電量が過剰になると、まず太陽光や風力での発電が電力系統から外され、原発や石炭火力での発電が最優先になっています。

同時に、再生可能エネルギーで発電した電力を最大限活用できる送電網などのインフラ整備が必要です。電気は、瞬時に、石油・ガソリンのような輸送コストもなく全国に送ることができます。再生可能エネルギーはどこにでも存在しますが、自然条件の違いで特に有利な地域もあり、その条件を生かして大都市部へ送電することで、地域の活性化に役立てることもできます。

——EUでは、再生可能エネルギー電力の優先接続が義務化されており、日本でも、優先利用を義務化します。

——発送電の分離をすすめ、大電力会社の市場支配力が強大なままという現状を是正し、地域で開発した再生可能エネルギーを有効に活用できるようにします。

——発電所から送電網への接続線が小規模な再生可能エネルギー発電事業者の負担になっている現状を改め、接続線を大手の送電事業者の責任で設置させます。

——再生可能電力を全国で融通できるように、必要な送電網の整備

14

をすすめます。9電力に区切られた送配電体制を東西二つの体制にするなど、送配電体制の整備・統合をすすめます。

■再エネは地域のエネルギー──地域と住民の力に依拠した開発を

　再生可能エネルギーは、密度は低いものの、日本中どの地域でも存在します。再生可能エネルギーは、この特徴に即して、地域と住民の力に依拠して活用をすすめてこそ、大規模な普及が可能になります。そうすれば地域おこしにとっても貴重な資源となります。地域のエネルギーとして、地域が主体になって開発・運営し、その事業に資金を供給する取り組みを推進する必要があります。

──自治体のイニシアチブも発揮して、住民の合意と協力、地域の力に依拠し、利益が地域に還元され、環境破壊を起こさない再生可能エネルギーの利用をはかります。

──住宅や小規模工場の屋根への太陽光パネルの設置、自治体主導

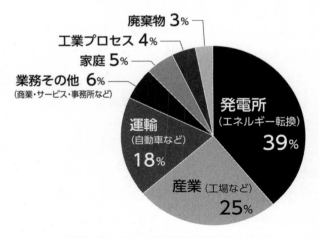

CO₂の排出量の分野別割合 (2019年度)

廃棄物 **3**%
工業プロセス **4**%
家庭 **5**%
業務その他 **6**%
（商業・サービス・事務所など）
運輸（自動車など）**18**%
発電所（エネルギー転換）**39**%
産業（工場など）**25**%

環境省「2019年度の温室効果ガス排出量」から

15

や住民の共同による事業、屋根貸し太陽光発電事業などを推進します。そのために、再生可能エネルギー電力の固定価格買取制度を地域の多様な取り組みを促進するように改善します。

■再エネ導入の最大の障害＝乱開発をなくすための規制を

再生可能エネルギーの普及の大きな障害になっているのは、メガソーラーや大型風力発電のための乱開発が、森林破壊や土砂崩れ、住環境の悪化や健康被害の危険を広げていることです。目先の利益追求での乱開発・環境破壊を放置するなら、再生可能エネルギーへの大胆な転換を阻害し、気候危機も打開できなくなってしまいます。

二つの方向での解決が必要です。

①環境を守る規制を強化し、乱開発をなくす。

森林法などの現行法は、森林を伐採してメガソーラー発電所をつくるなどの事態を想定していません。環境保全のための森林法改正、土砂崩れの危険性も評価事項に加えるなどアセスメントの改善が必要です。発電開始後も点検を行い、環境破壊や人体への悪影響がある場合には必要な是正措置をとらせます。

環境保全地区と建設可能地区を明確にしたゾーニング（区分）を、自治体が住民の参加・合意のもとで行うことも必要です。域外・外国の資本による乱開発を防止することは、利益の地域外への流出を防ぎ、地域のエネルギーであり資源である再生可能エネルギーを、地域の産業として開発し、地域の雇用や需要の創出につなげることにもなります。

②「新たな開発」ではなく、既存の施設・建築物・未利用地などの活用を推進する。

工場の屋根に太陽光パネルを設置して、エネルギー転換とコスト削減を実現した企業も生まれています。欧州では、ほとんどの住宅や建築物に太陽光パネルが設置されている町も多くあります。固定

16

価格買取制度の改善をはじめ、開発の必要がない再生可能エネルギー導入を推進することが必要です。

■日本の条件にあった再エネ技術の開発を進める

　世界が再生可能エネルギー導入に本格的に動きだしていた2003年に、政府は、風力発電の国の研究を「技術が成熟したので不要になった」として打ち切りました。メーカーも開発を中断し、日本の風力発電は輸入に頼らざるを得なくなっています。日本は温帯モンスーン気候のもとで、風の強さや風向きが急激に変わるという特質があり、落雷も多いので、その条件にあった風力発電が必要です。日本の条件に合った再生可能エネルギーの技術開発を国が率先してすすめます。

(2) 産業分野──省エネと脱化石燃料の社会的責任を 果たす規制と支援を

■CO_2削減目標を業界・企業の「自主目標」まかせでなく、国 との「協定」にして国民への公約にします

　産業分野でのCO_2排出は電力分野に次いで大きな比重を占めています。しかし、産業分野でのCO_2削減の目標と計画は、業界や企業の「自主目標」という"企業まかせ"にとどまっています。イギリスなどでは削減目標や計画を政府と企業の「協定」として公表しています。政府とCO_2排出量が多い企業が「協定」を結ぶことは、産業分野でのCO_2削減に政府も責任を負うとともに、国民への公約になります。

──CO_2排出量が大きい六つの業界、200程度の大規模事業所に、CO_2削減目標と計画、実施状況の公表などを「協定」として政府と締結することを義務化します。未達成の場合には課徴金を課します。

――その他の企業には規制ではなく、第三者の認定機関が各企業の目標と計画、進捗状況を評価する制度をつくり、CO$_2$削減の取り組みが正当に評価されるようにします。

■中小企業の「省エネ投資」を支援します

中小企業にとっても、脱炭素の取り組みは光熱費・燃料費削減などのコスト面だけでなく、売り上げの拡大、融資獲得といった事業の成長につながります。

――中小企業、農林漁業を対象に、「省エネ投資」のための無利子・無担保・無保証の融資制度を創設します。

――2兆円の「グリーンイノベーション基金」を大企業だけでなく、中小企業、農林漁業でも活用できるようにする、CO$_2$削減計画を持った中小・零細企業が利用しやすい「グリーン減税」を創設するなど、税財政による支援を強化します。

■脱炭素と結びついた農業・林業の振興

地球規模での食料難とともに、「農業による環境破壊」や森林破壊が大きな問題になっており、食料や木材の自給率向上は国際的な責任です。耕作農地の減少を食い止め、CO$_2$貯留量を増やす農地を確保することも大切です。所得補償、価格保障、国内材の活用など農業、林業の基本的な振興策とともに、脱炭素・環境保全型の農林業を振興します。

――農山漁村での再生可能エネルギーの活用を推進します。ハウスなどの農業施設での化石燃料ゼロ、木材・バイオマス素材への転換など、生産プロセスの脱炭素化への取り組みを支援します。

――農地でのソーラーシェアリングや耕作放棄地での太陽光発電をすすめます。

――小規模バイオマス発電の普及のために、収益性が上がる買い取り価格の設定や、小規模木質発電に適する山村地域への送電線整備

などをすすめます。

（3）運輸・交通分野──交通政策の全面的転換、自動車からのCO$_2$排出を削減・ゼロに

■交通政策を脱炭素の観点から全面的に転換する

　脱炭素や環境優先の交通政策に転換し、鉄道、路線バスなどの公共交通を重視します。40年前の国鉄民営化から続いている「民間まかせ、市場まかせ」の鉄道政策を見直し、鉄道の公共性、脱炭素社会への重要な役割にふさわしく国が公的に支えることが求められています。

──全国鉄道網を維持・強化し、脱炭素化をすすめるための公共交通基金を創設し、不採算地域での鉄道事業の赤字を適切に補てんしたり、車両・設備の省エネ化を支援します。基金の財源は、ガソリン税をはじめ自動車関連税、航空関連税などの交通関係の税の一部や、JR東日本、東海、西日本などの巨額利益の一部も組み入れます。

──新幹線の4倍もの電力を消費する、リニア中央新幹線の建設は中止します。

■電気自動車などを普及し、2050年までに自動車からのCO$_2$排出をゼロにする

　多くの自動車は十数年で買い替えられます。いまから年限を定めて、切り替えをすすめれば、2050年までに自動車からのCO$_2$排出をゼロにできます。

──新車販売を2030年までに、ガソリン車から電気自動車（EV）などゼロエミッション車（ZEV）に全面的に切り替えます。大型トラックなどのディーゼル車も早期の切り替えをすすめます。その際、自動車メーカーに下請け・関連企業にたいする社会的責任を果

19

たさせます。

——公共交通機関と組み合わせた自転車利用など自転車利用環境を整えます。

(4) 都市・住宅——断熱・省エネのまちづくりをすすめる

都市・住宅の断熱・省エネ化を、新築・改築時にすすめることが必要です。また、都市の再開発や大型開発事業にあたっては、CO_2排出量を削減するという視点から計画を見直します。

——新築・改築時の省エネ・再生エネ化を規制と助成一体にすすめます。一定規模の建物建設に断熱化、太陽光パネル設置などの脱炭素化対策を義務化するとともに、住宅建設への省エネ減税・住宅ローン減税の上乗せなどを行います。

——官公庁、学校など公共建築で、太陽光パネルで消費エネルギーがまかなえる「ネット・ゼロ・エネルギー・ハウス（ZEH）」、「ネット・ゼロ・エネルギー・ビル（ZEB）」を実現するなど、公共施設から脱炭素をすすめます。

——ゴミの焼却熱、事業所のボイラー熱、バイオマス発電の排熱をはじめ、未利用熱・地中熱等を病院、オフィス、住宅などの熱エネルギー源として利用をはかります。

——公共事業でライフサイクル・アセスメントを実施して、調達、建築、運用、メンテナンスにいたる全過程でCO_2排出量を公開します。環境破壊の無秩序な都市再開発をやめ、自然の空気の流れや日差しを有効利用する都市計画をすすめます。

(5) 自治体——ゼロエミッションをすすめる

「2050年CO_2排出ゼロ」を表明した自治体は40都道府県、268市、10特別区、126町村（8月31日現在）にのぼりますが、その取

り組みは緒に就いたばかりです。すべての地方自治体が2030年までの地球温暖化対策推進計画を策定し、住民とともに実践の先頭に立つよう、責任を持った取り組みを加速することが求められています。また、地域に還元され、貢献する再生可能エネルギー活用をすすめるために、自治体が役割を発揮することが求められています。

——公共施設、公共事業、自治体業務でどれだけCO_2を削減できるかなど、地方自治体自らの脱炭素化に向けた「目標と計画」と、区域内の脱炭素化の「目標と計画」という両面での「目標と計画」を策定します。その実現のために、地元企業との独自の協定、省エネ投資への自治体独自の支援、断熱・省エネルギー住宅へのリフォーム、太陽光発電用パネルの設置などへの助成を行います。

——住民参加のもとで、自治体がゾーニングを行い、地域の環境と両立した形で再生可能エネルギーが導入「できる」場所と「できない」場所を"可視化"します。

——各自治体に、太陽光など再生可能エネルギーによる電力の利用、税金の優遇、補助金の申請、脱炭素に有効な製品・サービスの選択など、住民や地元企業に専門的なアドバイスを行える支援窓口を、環境省、都道府県との連携を強化しながら、設置します。

5、脱炭素と貧困・格差是正を二本柱にした 経済・社会改革で、持続可能な成長を

（1）脱炭素社会の実現は、「耐乏」でも「停滞」でもなく、 持続可能な成長に道を開く

　脱炭素化、省エネルギーと再生可能エネルギーの推進は、生活水準の悪化や耐乏生活を強いるものでも、経済の悪化や停滞をもたらすものでもありません。それどころか、新しい雇用を創出し、地域経済を活性化し、新たな技術の開発など持続可能な成長の大きな可能性を持っています。

　省エネは、企業にとっても中長期的な投資によってコスト削減とまともな効率化をもたらします。リストラ・人件費削減という経済全体にマイナスとなる「効率化」とは正反対です。住宅などの断熱化は、地域の建設業などに仕事と雇用を生み出します。

　再生可能エネルギーのための地域の発電所は、石炭火力や原発などより、はるかに多い雇用を生み出し、地域経済の活性化につながります。海外に依存してきた化石燃料への支払いは大幅に減り、日本経済の弱点である低いエネルギー自給率は大きく向上し、再エネの普及によるコスト削減もあり、電気料金の値下げにもつながります。

　ある研究グループの試算では、2030年までに、エネルギー需要を約40％削減する省エネと、再生可能エネルギーで電力の44％をまかなうエネルギー転換を実施すれば、年間254万人の雇用が新たに創出され、エネルギー転換で影響を受ける産業分野での現在の雇用者20万人をはるかに上回ります。投資額は、2030年までの累計

で202兆円となり、GDPを205兆円押し上げ、化石燃料の輸入削減額は52兆円になるとされています（未来のためのエネルギー転換研究グループ「レポート2030」）。

国際エネルギー機関（IEA）は、クリーンなエネルギーシステム構築、クリーンな交通システム、産業部門の省エネなど、持続可能性を重視した施策に3年間で3兆ドルを投じれば、世界のGDP成長率を、年平均で1.1％ポイント増加させると予測しています（「持続可能なリカバリー（経済復興）」2020年6月）。

脱炭素社会の実現は、「耐乏」でも「停滞」でもなく、持続可能な成長に道を開くものなのです。

（2）コロナからの復興はグリーン・リカバリー（緑の復興）で

経済成長と脱炭素化を同時にすすめるという認識は世界に広がり、コロナで落ち込んだ経済を立て直すにあたって、グリーン・リカバリー（緑の復興）が世界的規模での大きな課題になっています。

EUは、新型コロナからの復興予算の30％を気候変動対策などのグリーン・リカバリーに投じるとして、7年間で140兆円に上る長期予算案と約95兆円の経済復興策を打ち出し、再生可能エネルギーの普及や電気自動車への転換のための巨額のインフラ支援などが盛り込まれました。

フランス政府は、経営難に陥ったエールフランスに資金を融資するにあたって、列車など代替手段がある2時間半以内の国内路線を縮小することを条件にするなど、脱炭素化を促す方向性が明確になっています。

しかし、日本政府はこのような考え方を対策の基本に位置づけて

いません。本気で2050年にCO$_2$排出実質ゼロをめざすなら、"コロナ前"に戻る従来型の「経済対策」ではなく、省エネ・再エネの推進を軸にしたグリーン・リカバリーこそすすむべき道です。

(3) 気候危機の打開は、貧困と格差をただすことと一体のもの

気候危機打開の取り組みをすすめるためには、財界いいなりの政治を変え、石炭火力利益共同体、原発利益共同体の抵抗を排除しなければなりません。

とりわけ、1990年代から顕著になった新自由主義の政治の根本的な切り替えが必要です。大企業の目先の利益拡大と株主利益の最大化をめざす新自由主義によって、企業は省エネや再生可能エネルギーのような中長期的な投資より、短期の利益確保に追われ、金融投機やリストラによるコスト削減にはしりました。

気候危機の打開は、貧困と格差をただすことと一体のものです。どちらも根っこにあるのは、目先の利益さえあがればよい、後は野となれ山となれの新自由主義の政治であり、その転換こそが求められています。

脱炭素化は、大きな社会経済システムの転換、「システムの移行」を必要とする大改革です。再生可能エネルギーは、将来性豊かな産業であり、地域経済の活性化にもつながる大きな可能性をもっていますが、そこでの雇用が非正規・低賃金労働ということでは、「システム移行」への抵抗も大きくなり、地域経済の活性化どころか、衰退に拍車をかけるものにもなりかねません。脱炭素化のための「システムの移行」は、貧困や格差をただし、国民の暮らしと権利を守るルールある経済社会をめざす、「公正な移行」でなくてはなりません。

自公政権は「解雇規制などの労働者保護があるから、古い産業から新しい産業への労働移動が起きない」と言って、労働法制を改悪し、非正規雇用を増やす新自由主義の政治をすすめてきました。しかし、現実に起きたことは、労働法制の改悪で「新しい産業」でも不安定・低賃金の非正規雇用が急速に広がり、それと一体で正社員の長時間労働が激化したのです。労働条件が悪化する「雇用移動」は、リストラ・解雇などの強制力がなければ起きませんし、それが雇用の不安定化と貧困と格差の拡大をまねき、日本社会と経済にとっても大きな打撃となったのです。

　脱炭素化のための「システムの移行」にさいして、こうした誤った道を繰り返してはなりません。再生可能エネルギーをはじめとした新しい成長分野でも、エネルギー転換の影響を受ける産業でも、人間らしく働ける雇用のルールを確立し、雇用と暮らしを抜本的に向上させることが「公正な移行」のために必要です。

　気候危機の打開は、貧困と格差の是正と一体に――「公正な移行」として推進してこそ、達成することができます。

（4）脱炭素に向けた民間投資の促進と公的投資のための財源について

　脱炭素に向けて、省エネや再生可能エネルギーのための民間投資と、脱炭素化に必要なインフラ整備のための公共投資が必要です。専門家の試算では、2030年までにCO_2半減を達成するためには、民間投資が150兆円、公共投資が50兆円という規模が必要です（未来のためのエネルギー転換研究グループ）。

■企業にとって利益を生み出し、将来性のある投資

　省エネや再生可能エネルギーは、企業にとって利益を生み出し、将来性も大きく期待できる投資です。日本の大企業は400兆円を超

える巨額の内部留保をもっています。史上最高の利益をあげてきたものの国内の需要が冷え込んでいるために、新たな投資先がないためです。脱炭素化を国家の大プロジェクトとしてすすめることは、こうした資金の新たな投資先になります。

■公共事業、エネルギー関連予算の転換で

公的投資は、先の試算では年間5兆円程度の規模が必要になりますが、現在でも年間25兆円規模の公共投資が行われており、巨大開発の見直しなど公共投資の転換でまかなうことができます。

中小企業や住宅などを支援するための無利子融資への利子補給などの財源は、それほど大きくありませんが必要です。こうした財源は、公共事業の転換とともに、原発に大きな比重を割いているエネルギー関連予算の抜本見直しでつくります。

2021年度予算をみると、エネルギー関連予算のうち、割合が最も多いのが原子力で33.8%（4121億円）、次いで石油、石炭、ガスなどの化石燃料及び資源で20.7%（2531億円）です。省エネルギーや温暖化対策は19.8%（2418億円）にとどまっています。エネルギー予算の7、8割を再生可能エネルギーに振り向けます。

■炭素税の拡充

炭素税は、スウェーデンではCO_2 1トン当たり約1万7000円、フランスでは約5600円を課していますが、日本では温暖化対策税で1トン当たり289円と極めて低額にとどまっています。炭素税などのカーボンプライシングは化石燃料の使用を抑制する効果があるとともに、当面の財源にもなります。炭素税は、脱炭素が完了するまでの一時的な財源ですから、脱炭素に必要な公的な事業、支援策の財源としても検討していきます。

気候危機打開へ──いまの政治を変えるために力を合わせよう

　脱炭素社会の実現は、私たち一人ひとりの決意と行動にかかっています。

　一人ひとりが気候危機打開の主人公です。ライフスタイル、生活様式を見直すことも、自分の地域にある再生可能エネルギーを、地域のみなさんと力をあわせて開発・利用することも大切です。

　同時に、個々人や家庭の努力だけでは、脱炭素は実現できません。気候変動の重大な危機は、石炭火力や原発に固執する、いまの政治を変えることなしには、打開することはできないからです。

　いま、気候危機の打開を求める動きは世界で大きく広がっています。とくに、「Fridays For Future」（未来のための金曜日）という、若い人たちを中心にした運動が世界でも日本でも広がっていることは、明日に向けた力強い動きではないでしょうか。

　地球を守り、将来の世代に豊かな自然環境を引き継ぐために、いまの政治を変えましょう。思想・信条の違いをこえて力をあわせることをよびかけます。

　日本共産党綱領第四章「民主主義革命と民主連合政府」の「現在、日本社会が必要とする民主的改革の主要な内容」のうち「経済的民主主義の分野で」の部分、および第28回大会（2020年1月）での「綱領一部改定案についての中央委員会報告」で、「貧困の格差拡大と地球規模の気候変動」について述べた部分を紹介します。（出版局）

日本共産党綱領から

四、民主主義革命と民主連合政府

　……

　（一三）現在、日本社会が必要とする民主的改革の主要な内容は、次のとおりである。

　……

〔経済的民主主義の分野で〕

1　「ルールなき資本主義」の現状を打破し、労働者の長時間労働や一方的解雇の規制を含め、ヨーロッパの主要資本主義諸国や国際条約などの到達点も踏まえつつ、国民の生活と権利を守る「ルールある経済社会」をつくる。

2　大企業にたいする民主的規制を主な手段として、その横暴な経済支配をおさえる。民主的規制を通じて、労働者や消費者、中小企業と地域経済、環境にたいする社会的責任を大企業に果たさせ、国民の生活と権利を守るルールづくりを促進するとともに、つりあいのとれた経済の発展をはかる。経済活動や軍事基地などによる環境破壊と公害に反対し、自然保護と環境保全のための規制措置を強化する。

3　食料自給率の向上、安全・安心な食料の確保、国土の保全など多面的機能を重視し、農林水産政策の根本的な転換をはかる。国の産業政策のなかで、農業を基幹的な生産部門として位置づける。

4　原子力発電所は廃止し、核燃料サイクルから撤退し、「原発ゼロの日本」をつくる。気候変動から人類の未来を守るため早期に「温室効果ガス排出量実質ゼロ」を実現する。環境とエネルギー自給率の引き上げを重視し、再生可能エネルギーへの抜本的転換をはかる。

　……

7　すべての国ぐにとの平等・互恵の経済関係を促進し、南北問題や地球環境問題など、世界的規模の問題の解決への積極的な貢献をはかる。

第28回大会「綱領一部改定案についての中央委員会報告」から

四、21世紀の世界をどうとらえるか（2）
──世界資本主義の諸矛盾

続いて、一部改定案は、綱領第一〇節で、世界資本主義の諸矛盾という角度から、21世紀の世界の姿を明らかにしています。この問題にかかわって報告します。

貧富の格差拡大と地球規模の気候変動
──どういう姿勢で立ち向かうか

一部改定案は、冒頭に、「巨大に発達した生産力を制御できないという資本主義の矛盾」の七つのあらわれについてのべたうえで、「貧富の格差の世界的規模での空前の拡大」、「地球的規模でさまざまな災厄をもたらしつつある気候変動」の二つを、世界的な矛盾の焦点として特記しました。そして、この二つの大問題について、「資本主義体制が二一世紀に生き残る資格を問う問題となっており、その是正・抑制を求める諸国民のたたかいは、人類の未来にとって死活的意義をもつ」とのべました。

貧富の格差が空前の広がりを示すもと、「社会主義」の新たな形での「復権」が

この二つの大問題は、人類の死活にかかわる緊急の課題であり、資本主義の枠内でもその是正・抑制を求める最大のとりくみが強く求められます。

同時に、これらの問題にとりくんでいる人々のなかから、「資本主義の限界」が語られ、「利潤第一の経済システムそのものを変える必要がある」などの声が広く起こっていることは注目すべきであります。

アメリカでは、貧富の格差が空前の広がりを示すもとで、「社会主義」を掲げるさまざまな運動が広がっています。「1％のためでなく、99％のための政治」を掲げ、社会保障の拡大を求め、富裕層への課税など経済的不平等をただすことを訴えています。私たちがいま日本でめざしている方向とも共通性をもった運動であります。

　そうしたもと、最近、大手世論調査会社「ピューリサーチ」が実施した世論調査（2019年4～5月に調査）では、若い「ミレニアル世代」——23～38歳の半数が社会主義を肯定的に見ているとの結果が明らかになりました。

　別の大手世論調査会社「ハリス」が実施した世論調査（2019年4月）では、社会主義への支持が拡大しているという調査結果が明らかになりました。それによれば、アメリカ人の10人に4人、18歳～54歳の女性の55％が、資本主義の国よりも社会主義の国での生活を好むと表明しています。この結果を伝えたメディアは、「社会主義は特に女性の間で、そのソ連時代の汚名を消している」と報じました。

　ソ連崩壊から30年近くたった今日、世界資本主義の矛盾がむき出しの形で噴き出しています。そうしたもと、世界最大の資本主義国・アメリカで「社会主義」の新たな形での「復権」が起こっていることは、注目すべき出来事ではないでしょうか。

地球規模の気候変動——非常事態に人類は直面している

　昨年12月に開催されたCOP25（国連気候変動枠組み条約第25回締約国会議）は、温室効果ガス削減目標の引き上げを促す決議には合意したものの、「パリ協定」の運用ルールの決定が先送りにされ、世界の人々を失望させる結果となりました。

　地球規模の気候変動をめぐって、もはや問題の先送りは許されない非常事態——文字通りの「気候危機」に人類は直面しています。

　昨年12月に発表された国連環境計画（UNEP）報告では、現在各国から出されている目標通りに削減したとしても、世界の平均気温は産業革命前に比べて、今世紀中に3.2度上昇し、現在の排出ペースが続けば3.2～3.9度上昇すると予測され、地球は破局的事態に陥ります。

　「パリ協定」で掲げる「1.5度以内」に抑制する目標を実現するためには、削減目標の緊急の大幅引き上げが必要であります。そのために

は、2050年までに温室効果ガスの排出量を「実質ゼロ」にしなければなりません。あと30年です。人間でいえば1世代の間に、それを成し遂げなければなりません。そして、それを成し遂げるには、あと数年のとりくみが正念場となっています。グテレス国連事務総長が「気候危機」というほど、事態は切迫しているのであります。

この日本から、世界に連帯して、気候変動の抑制をもとめる緊急の行動を

こうしたなか、世界的規模で、気候変動の抑制を求める運動が広がっています。

昨年9月末に行われた「グローバル気候マーチ」には、185カ国で、760万人の市民が参加し、2003年のイラク戦争反対の世界的デモの参加者数を超え、史上最大規模となりました。若者たちが「私たちの将来を燃やさないで」とたちあがっています。17歳のスウェーデンの環境活動家グレタ・トゥンベリさんは、「一番危険なのは行動しないことではなく、政治家や企業家が行動しているように見せかけること」だと指摘し、「私たちは、大量絶滅の始まりにいる」と訴え、世界の若者の共感を広げています。

グレタさんに対して、トランプ米大統領は、彼女が米タイム誌の「今年の人」に選ばれたことを、「全くばかばかしい。……落ち着け、グレタ、落ち着け！」とコメントし、ブラジルのボルソナロ大統領は「小娘」呼ばわりし、ロシアのプーチン大統領は「現代の世界が複雑で多様であることを誰もグレタさんに教えていない」といい、小泉進次郎環境大臣は「おとなたちに対する糾弾に終わってしまっては、私はそれも、未来はないと思っている」と批判しました。「ばかばかしい」のはどちらか、「現代の世界」を理解していないのはどちらか、「未来はない」のはどちらか。あまりにも明瞭ではありませんか。若者の真剣な訴えを聞く力をもたない政治家に、恥を知るべきだと、私は強く言いたいと思います。

日本でも、台風・豪雨災害の大規模化、猛暑によるコメ生産への打撃、海水温上昇による不漁など、気候変動の深刻な影響があらわれています。ドイツのシンクタンク「ジャーマンウォッチ」は、地球温暖化の影響が指摘される豪雨や熱波など気象災害の影響が大きかった国のラン

キングを発表しましたが、2018年は日本がワースト1位となりました。にもかかわらず、日本政府は、石炭火力発電所を増設・輸出し、削減目標の上乗せを拒み、環境NGOから何度も「化石賞」を受賞するという恥ずべき姿をさらしています。

日本でも、「グローバル気候マーチ」に連帯した若者たちの運動がはじまっています。世界の運動に連帯し、この日本から気候変動抑止のための緊急の行動を大きく発展させようではありませんか。

気候変動の打開の道は「社会主義の理想を現代に適合させること」（米有力誌）

いま注目すべきは、こうした運動にとりくんでいる人々のなかから、「いまのシステムで解決策がないならば、システムそのものを変えるべきだ」という主張が起こっていることであります。

アメリカの有力外交誌『フォーリン・アフェアーズ』（2020年1-2月号）は、「資本主義の未来」を特集しましたが、その論文の一つは、次のように主張しています。

「資本主義は危機にある。……経済成長を何よりも優先する経済モデルが必要とする大量消費と化石燃料の大量使用が大きな要因となり、気候変動は今や人類生存の将来を危機にさらしている。……人々の生活の質をぼろぼろにした経済崩壊と同様、環境の悪化は資本主義の危機に根がある。そのどちらの課題も、オルタナティブな経済モデル――社会主義の理想を現代に適合させることにより真の改革への渇望にこたえるようなモデル――を採用することで、対応できる」

アメリカの有力外交誌が、気候変動の打開の道は、「社会主義の理想を現代に適合させること」にあるとする論文を掲載したことは、注目すべきことではないでしょうか。「利潤第一主義」――利潤追求を地球環境の上におき、生産のための生産につきすすみ、エネルギーの果てしない浪費を行う資本主義というシステムそのものが、いま問われているのであります。

みなさん、貧富の格差の問題でも、気候変動の問題でも、資本主義の枠内で解決のための最大の努力を行いながら、資本主義をのりこえた社会主義によって問題の根本的な解決の展望が開かれることを、大いに語っていこうではありませんか。